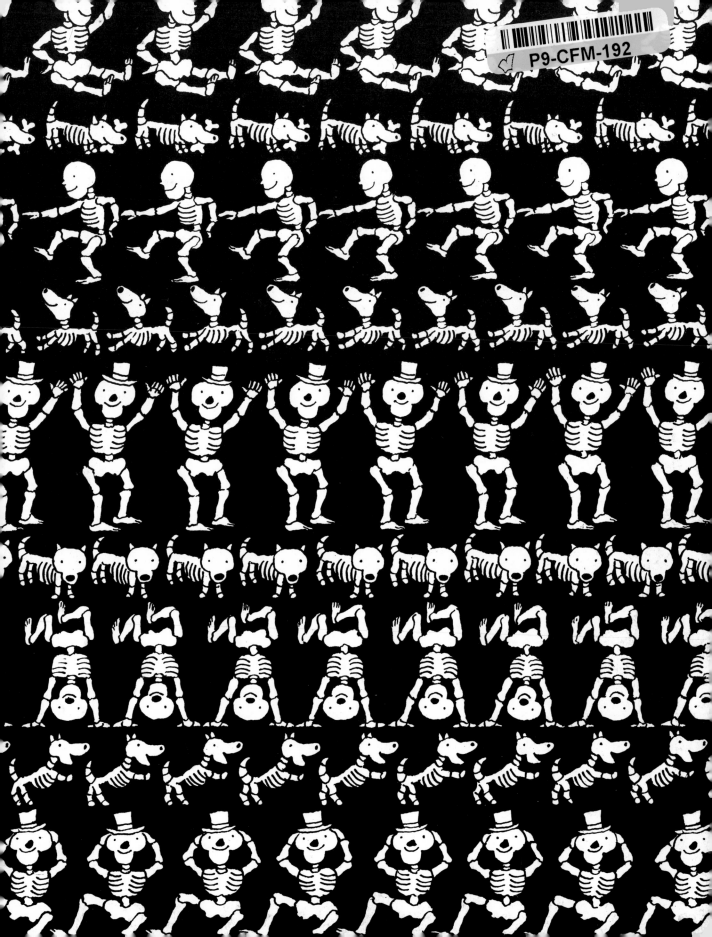

© 1980 Allan en Janet Ahlberg
De oorspronkelijke uitgave van dit boek,
Funnybones, verscheen bij William Heinemann in Londen
© 1987 voor het Nederlandse taalgebied:
Uitgeverij J.H. Gottmer/H.J.W. Becht bv,
Postbus 160, 2060 AD Bloemendaal
Vertaling: Martine Schaap
ISBN 90 257 2076 5
NUGI 280/CIP

BOT EN BOTJE

Janet en Allan Ahlberg

Een Gottmer prentenboek

Zo begint dit verhaal.
Op een donkere, donkere berg
lag een donkere, donkere stad.
In die donkere, donkere stad
was een donkere, donkere straat.
In die donkere, donkere straat
stond een donker, donker huis.
In dat donkere, donkere huis
was een donkere, donkere trap.
En die donkere, donkere trap
ging naar een donkere, donkere kelder.
En in die donkere, donkere kelder . . .

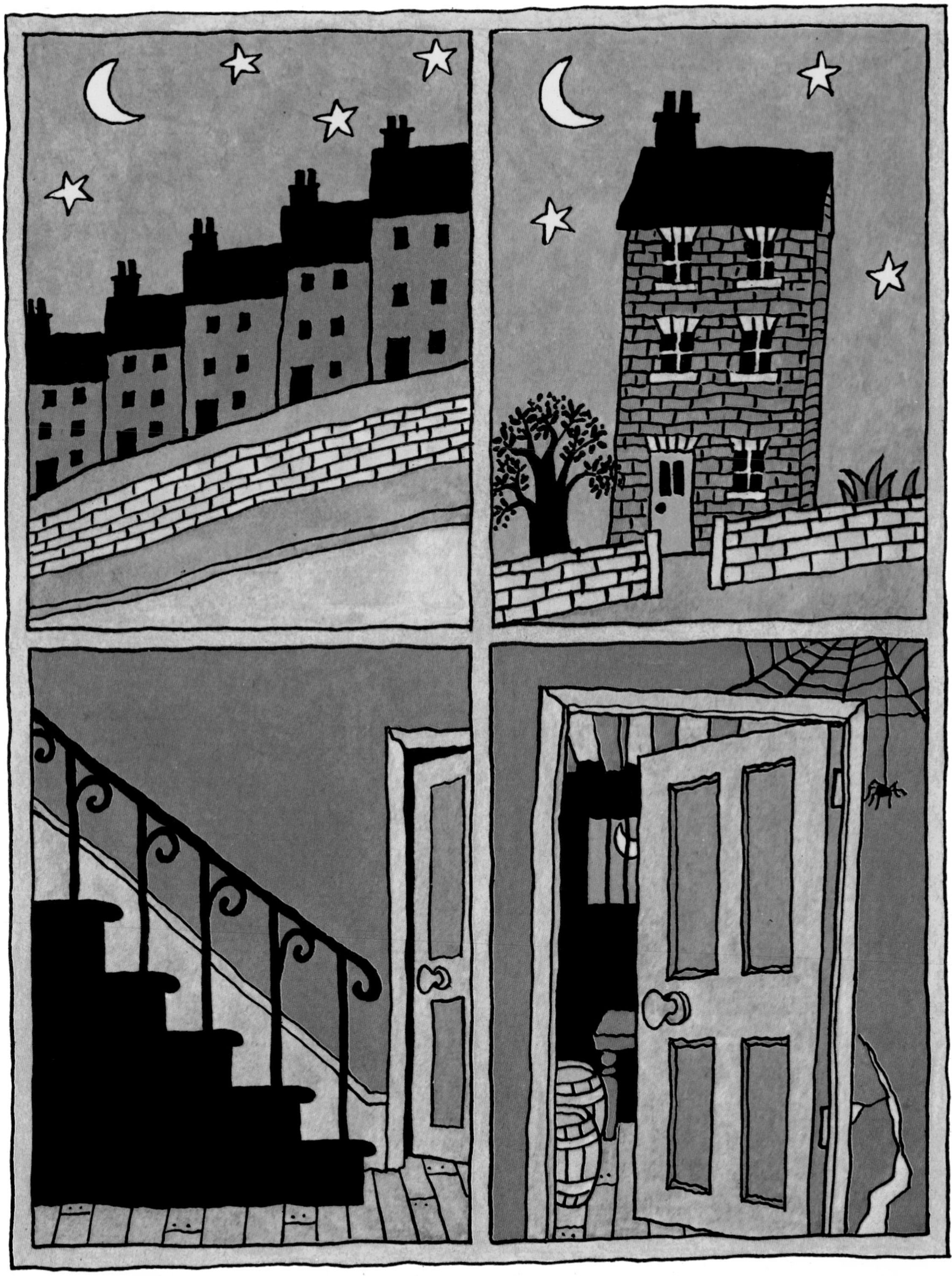

. . . woonden drie geraamten.

Bot, Botje,
en hun hond.

In een donkere, donkere nacht
ging Bot rechtop in bed zitten.
'Wat gaan we doen vannacht?'
vroeg hij.
'Zullen we de hond uitlaten?'
zei Botje.
'En iemand bang maken?'
'Goed idee,' vond Bot.

Daar gingen Bot, Botje
en hun hond.
De donkere, donkere kelder uit.
de donkere, donkere trap op,
en de donkere, donkere straat in.

Ze liepen langs de huizen
en de winkels,
voorbij de dierentuin
en het politiebureau,
tot ze in het park waren.

Bot krabde op zijn schedel.
'Wat gaan we nu doen?' vroeg hij.
'Laten we gaan schommelen,'
zei Botje.
'En een stok voor de hond weggooien,
en iemand bang maken.'
'Goed idee,' vond Bot.

Dus liepen Bot, Botje en hun hond
langs de donkere, donkere vijver,
voorbij de donkere, donkere tennisbaan,
naar de donkere, donkere schommels.

Bot en Botje gingen op een schommel
zitten, en gooiden een stok weg
voor de hond.

Maar wat gebeurde er toen?
De hond rende achter de stok aan,
viel over een bank,
botste tegen een boom op . . .

en veranderde in een berg botjes.

'Kijk nou eens,'
zei Bot.
'Hij ligt helemaal in stukken.
Wat moeten we doen?'
'Laten we hem weer in elkaar zetten,'
zei Botje.
Dat deden ze.
En ze zongen een liedje
terwijl ze bezig waren.

Maar ze raakten in de war.
'Is dit een stukje van zijn teen?'
vroeg Botje.
'En waar hoort dit?'
mompelde Bot.

Toen ze klaar waren, zei Bot:
'Wat ziet die hond er gek uit zo.'
'Je hebt gelijk,' zei Botje.
'Zijn staart zit aan de verkeerde kant,
en zijn kop ook.'
'Feow!' zei de hond.

Tenslotte zat de hond weer in
elkaar zoals het hoorde.
Bot en Botje zongen
weer een liedje.

TOEN ONZE HOND IN
BOTJES LAG
WAS IE AAK'LIG OM TE ZIEN
NU KAN HIJ WEER HARD LOPEN
EN BLAFT NOG BOVENDIEN!

Bot krabde op zijn schedel.
'We zijn wat vergeten,' zei hij,
'we moeten nog iemand bang maken.'
'Dat kunnen we mooi op de
terugweg doen,' zei Botje.
'Goed idee,' vond Bot.

En daar gingen Bot
en Botje, met hun hond.
Het donkere, donkere park uit,
de donkere, donkere stad in
om iemand bang te maken.

Maar ja, . . . iedereen lag in bed.
Zelfs de agent in het politiebureau
deed een dutje.
En ook de dieren in de dierentuin
sliepen.
Alleen de *botten*-beesten
waren wakker!

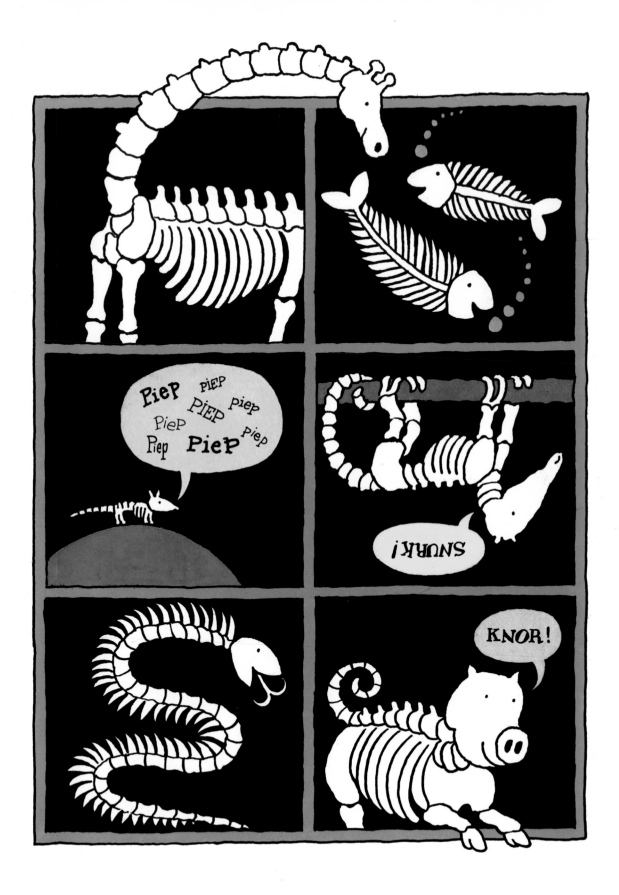

'Laten we een ritje maken op de botten-olifant,' zei Botje.
'En een praatje maken met de botten-papagaai.'
Bot krabde op zijn schedel:
'Maar laten we uit de buurt blijven van de botten-krokodil!'

Toen ze weer op straat stonden,
en nog steeds niemand zagen die ze
bang konden maken, vroeg Bot,
'Wat doen we nu?'

Toen krabde Botje op *zijn* schedel.
'Laten we elkaar bang maken,' zei hij.
'Dat is beter dan niks.'
'Goed idee,' vond Bot.

Dus dat deden ze.
Bot maakte Botje bang.
Botje liet Bot schrikken.
Bot en Botje pestten de hond,
en de hond jaagde Bot en Botje
de stuipen op het lijf.

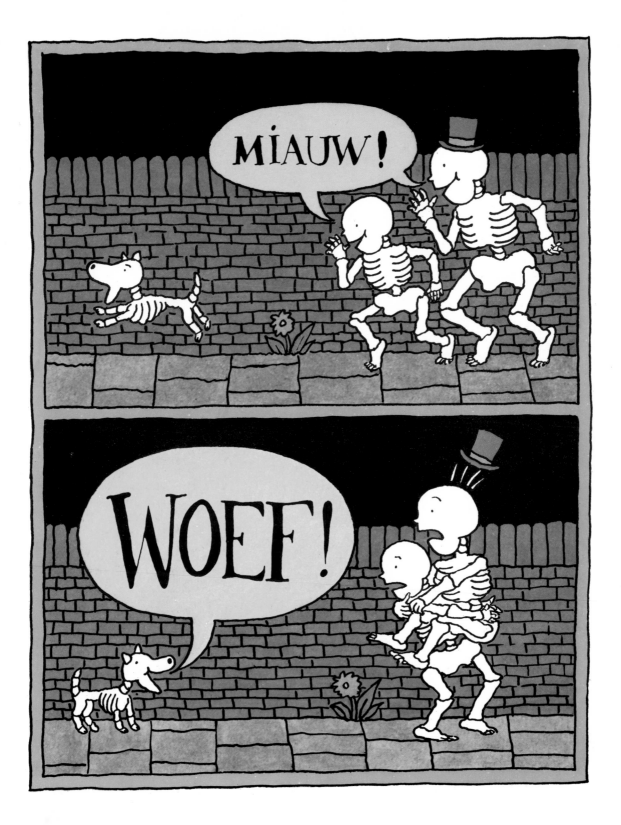

Ze verstopten zich om elke hoek,
en maakten elkaar bang.
Ze klommen in lantaarnpalen
en maakten elkaar bang.
Ze sprongen uit vuilnisbakken
en maakten elkaar bang . . .

. . . de hele weg naar huis.

En zo eindigt dit verhaal.
Op een donkere, donkere berg
lag een donkere, donkere stad.
In die donkere, donkere stad
was een donkere, donkere straat.
In die donkere, donkere straat
stond een donker, donker huis.
In dat donkere, donkere huis
was een donkere, donkere trap.
En die donkere, donkere trap
ging naar een donkere, donkere kelder.
En in die donkere, donkere kelder
woonden drie geraamten.

En daar wonen ze

nog steeds.

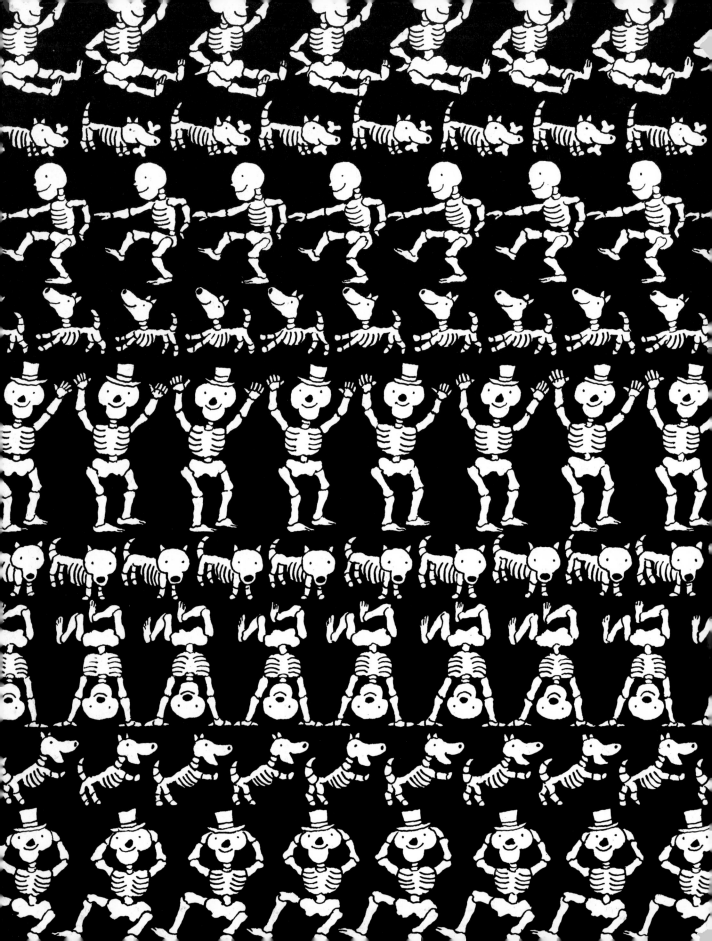